D1472542

Un pique-nique chez
LES MONSIEUR
MADAME

Ils préparèrent un panier et se mirent en route.
Et comme la journée était vraiment très belle,
ils croisèrent de nombreux amis qui avaient eu
la même idée.

Quand ils arrivèrent au parc, tout le monde
avait préparé un délicieux pique-nique.

Regarde la taille du panier de monsieur Glouton !

Traduction : Anne Marchand Kalicky.

Édité par Hachette Livre - 58 rue Jean Bleuzen, 92178 Vanves cedex.
Dépôt légal : avril 2015.
Loi n°49-956 du 16 juillet 1949 sur les publications destinées à la jeunesse.
Achevé d'imprimer en avril 2016 par Canale en Roumanie.

DES **MONSIEUR MADAME**

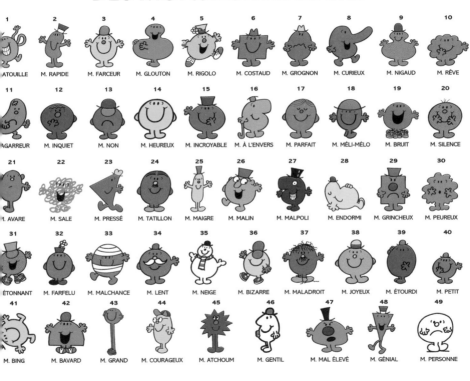

1 ...ATOUILLE
2 M. RAPIDE
3 M. FARCEUR
4 M. GLOUTON
5 M. RIGOLO
6 M. COSTAUD
7 M. GROGNON
8 M. CURIEUX
9 M. NIGAUD
10 M. RÊVE

11 ...AGARREUR
12 M. INQUIET
13 M. NON
14 M. HEUREUX
15 M. INCROYABLE
16 M. À L'ENVERS
17 M. PARFAIT
18 M. MÉLI-MÉLO
19 M. BRUIT
20 M. SILENCE

21 M. AVARE
22 M. SALE
23 M. PRESSÉ
24 M. TATILLON
25 M. MAIGRE
26 M. MALIN
27 M. MALPOLI
28 M. ENDORMI
29 M. GRINCHEUX
30 M. PEUREUX

31 M. ÉTONNANT
32 M. FARFELU
33 M. MALCHANCE
34 M. LENT
35 M. NEIGE
36 M. BIZARRE
37 M. MALADROIT
38 M. JOYEUX
39 M. ÉTOURDI
40 M. PETIT

41 M. BING
42 M. BAVARD
43 M. GRAND
44 M. COURAGEUX
45 M. ATCHOUM
46 M. GENTIL
47 M. MAL ÉLEVÉ
48 M. GÉNIAL
49 M. PERSONNE

RÉUNIS VITE LA COLLECTION ENTIÈRE

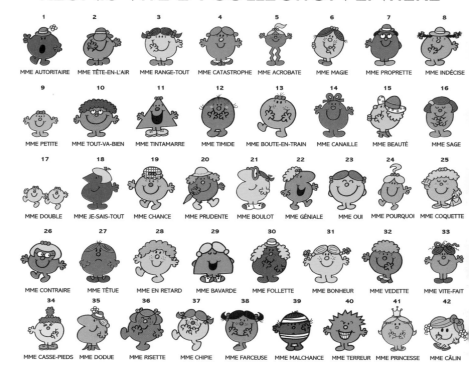

1	2	3	4	5	6	7	8
MME AUTORITAIRE	MME TÊTE-EN-L'AIR	MME RANGE-TOUT	MME CATASTROPHE	MME ACROBATE	MME MAGIE	MME PROPRETTE	MME INDÉCISE

9	10	11	12	13	14	15	16
MME PETITE	MME TOUT-VA-BIEN	MME TINTAMARRE	MME TIMIDE	MME BOUTE-EN-TRAIN	MME CANAILLE	MME BEAUTÉ	MME SAGE

17	18	19	20	21	22	23	24	25
MME DOUBLE	MME JE-SAIS-TOUT	MME CHANCE	MME PRUDENTE	MME BOULOT	MME GÉNIALE	MME OUI	MME POURQUOI	MME COQUETTE

26	27	28	29	30	31	32	33
MME CONTRAIRE	MME TÊTUE	MME EN RETARD	MME BAVARDE	MME FOLLETTE	MME BONHEUR	MME VEDETTE	MME VITE-FAIT

34	35	36	37	38	39	40	41	42
MME CASSE-PIEDS	MME DODUE	MME RISETTE	MME CHIPIE	MME FARCEUSE	MME MALCHANCE	MME TERREUR	MME PRINCESSE	MME CÂLIN

Monsieur Glouton, bien sûr !

– Je sais ce que nous pourrions faire, maintenant !
s'exclama alors monsieur Heureux. Nous pourrions
tous aller nous baigner !

Et il entraîna monsieur Malchance dans le lac.
Plouf !

Et tous leurs amis sautèrent dans l'eau à leur suite.
Plouf !
Plouf !
Plouf !
Plouf !

Et devine qui fit le plus gros plouf ?

Et pauvre monsieur Malchance !

Il était si gêné…

– Je suis désolé, dit-il.

… percuta monsieur Heureux, le renvoyant une troisième fois dans le lac !

Plouf !

Pauvre monsieur Heureux !

Monsieur Malchance se sentait si mal à l'aise vis-à-vis de monsieur Heureux qu'il décida d'aller se promener en haut d'une colline pour éviter d'autres problèmes.

Mais… Malheureusement, en redescendant, il trébucha, dévala la pente et…

Et à quelle vitesse il fait tourner le tourniquet !

Monsieur Nigaud en était encore plus nigaud que d'habitude !

Un pique-nique chez
LES MONSIEUR MADAME

Roger Hargreaves

Écrit et illustré par Adam Hargreaves

hachette
JEUNESSE

Ce matin-là, quand le réveil de monsieur Malchance sonna, il sortit de son lit, trébucha sur ses pantoufles, roula à travers le pas de la porte et dégringola les escaliers.

Boum !
Boum !
Boum !
Boum !
Et boum !

C'était ainsi que monsieur Malchance se réveillait tous les matins.

Pauvre monsieur Malchance !

C'est alors que quelqu'un sonna à la porte.

Allongé par terre, monsieur Malchance parvint
à se relever pour aller ouvrir.

C'était monsieur Heureux.

– Quelle belle journée ! s'exclama-t-il. Nous devrions
organiser un pique-nique au parc.
– Quelle bonne idée ! répondit monsieur Malchance,
tout en se prenant les pieds dans le paillasson
et en venant s'écraser contre monsieur Heureux.

Dès que monsieur Heureux se fut séché, encore une fois, il suggéra d'aller faire de la balançoire.

Regarde comment monsieur Costaud envoie haut ses amis !

Mais, alors qu'ils regagnaient la rive, monsieur Malchance, qui ramait, fit un faux mouvement, manqua de renverser l'embarcation et envoya de nouveau monsieur Heureux directement dans le lac !

Plouf !

Une fois remis de sa baignade forcée,
monsieur Heureux proposa de faire un petit tour
de barque sur le lac. C'est aussi une activité très
appréciée des Monsieur Madame.

Regarde monsieur Grand : il n'a même pas besoin
de bateau !

Pendant le pique-nique, une abeille se mit
à tournicoter autour de monsieur Malchance.

Il bondit pour la chasser, mais il glissa
sur son sandwich et tomba sur monsieur Heureux.

Après le pique-nique, monsieur Heureux proposa de louer des vélos.

Tous les Monsieur Madame aiment se promener à vélo autour du parc.

Il suffit de regarder madame Magie !

N'est-ce pas magique ?

Mais, alors qu'ils passaient près du lac, monsieur Malchance se mit à zigzaguer. Sa roue avant percuta la roue arrière de monsieur Heureux et cet incident envoya celui-ci directement dans...

… le lac !

Plouf !